racontés par Françoise Demars

illustrés par Julie Mercier

MAGNARD

QUE D'HISTOIRES !
CE2

« Que d'histoires ! CE2 »,
animée par Françoise Guillaumond.

Conception graphique :
Delphine d'Inguimbert et Valérie Goussot
Réalisation : Christel Parolini

5, allée de la 2e DB - 75015 Paris
www.magnard.fr

N° d'éditeur : 2018_1495 – Dépôt légal : mars 2004
Achevé d'imprimer en janvier 2019 par Pollina en France - 88216

La punition du lièvre

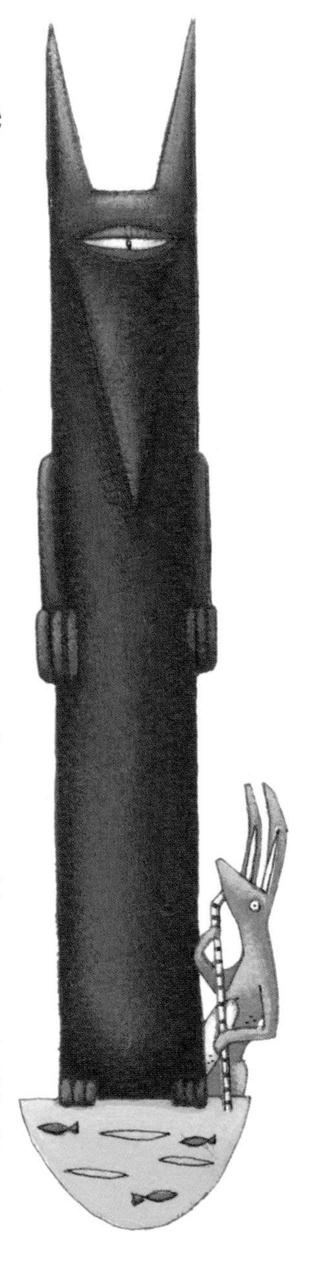

Un jour il se mit à faire chaud, très chaud. Si chaud que la terre craqua de toutes parts et que l'herbe commença à jaunir.

Les jours suivants, la chaleur était toujours là. Et cela dura longtemps. Bientôt, il n'y eut plus une seule touffe d'herbe verte dans la grande prairie.

Les ruisseaux, les lacs et les rivières n'avaient plus d'eau. Et le soleil chauffait. La lune avait beau s'arrondir, se rétrécir, puis s'arrondir à nouveau, il ne pleuvait toujours pas. Et le soleil chauffait.

Seul un trou étroit mais assez profond contenait encore un peu d'eau. Les animaux décidèrent de se réunir en conseil pour organiser la distribution de l'eau qui restait.

Il fut décidé que chaque animal pourrait, une fois dans la journée, se rendre au trou d'eau, pour y puiser une unique ration, toute petite. Ainsi, chacun aurait une part qui lui permettrait de ne pas mourir de soif.

Seulement voilà, les jours passaient et la ration quotidienne était si petite que les animaux se mirent à maigrir. Les pelages devenaient gris et cassants. Les plumes perdaient leur bel éclat. Quelle tristesse !

Seul le lièvre se pavanait et faisait le fier. Il dressait ses oreilles, faisait des galipettes : en avant, en arrière, en avant, en arrière. Bref, le lièvre était en pleine forme. Les autres animaux, eux, n'avaient plus le cœur à gambader. Ils avaient faim et soif. Ils finirent par se demander comment le lièvre pouvait encore garder l'œil aussi vif et le poil aussi brillant. Un doute terrible s'insinua dans leur esprit : se pouvait-il que le lièvre triche, qu'il se rende au trou d'eau plusieurs fois par jour, de façon à y engloutir non pas une, mais plusieurs rations ?

Les animaux décidèrent d'en avoir le cœur net.

La hyène eut une idée.

– Le loup est le pire ennemi du lièvre ! Avec de la terre bien noire, mélangée à de la glu, fabriquons une statue en forme de loup. Nous l'installerons au bord du trou. La statue montera la garde et, au besoin, elle fonctionnera comme un piège.

Aussitôt, les animaux se mirent à l'ouvrage. Ils confectionnèrent une statue en forme de loup qu'ils installèrent au bord du trou d'eau. Puis chacun fila se cacher derrière des buissons de broussailles sèches pour voir ce qui allait se passer. Ils restèrent là, un jour entier, à attendre.

Pendant ce temps, le lièvre se pavanait, faisant le fier, cabriolant de-ci, de-là, poils brillants et oreilles dressées.

C'est seulement lorsque la nuit fut tout à fait tombée qu'il se dirigea vers le trou d'eau. Les autres animaux avaient raison : le lièvre trichait. Une fois la grande prairie endormie, il se glissait jusqu'au trou d'eau pour y boire tout son saoul. Il s'y glissait en cachette et il avait bien garde alors de baisser ses longues oreilles afin que personne ne puisse les voir.

Or, ce soir-là, il ne se doutait pas de ce qui allait se passer. Il arriva près du trou d'eau en rampant doucement pour ne pas faire craquer les broussailles. Son cœur battait à grands coups, quand soudain il aperçut une forme noire, penchée au-dessus du trou d'eau. Le lièvre hésita un instant puis il finit par demander d'une voix tremblante :

– Qui est là ?

Personne ne répondit. Le lièvre s'approcha un peu plus. Il fit encore quelques pas. Il crut reconnaître, dans l'obscurité, la forme noire du loup. Ainsi le loup trichait lui aussi. Comme le lièvre, le loup venait boire au trou d'eau, dans la nuit, sans rien dire à personne. C'est du moins ce que le lièvre pensa.

Le lièvre ne bougeait plus. Il ne savait que faire. Un moment, il imagina repartir dans la grande prairie, sans faire de bruit, comme il était venu. Mais il avait soif, très soif. Et puis, il ne pourrait pas raconter aux autres animaux ce qu'il avait vu, car alors, on lui demanderait ce qu'il faisait, lui, la nuit, près du trou d'eau.

Le lièvre réfléchit et il décida que puisqu'il avait soif, il boirait lui aussi !

Il s'approcha du trou d'eau. Cette fois-ci, il ne fit pas attention au bruit, au contraire. Les broussailles pouvaient craquer, le lièvre les remuait avec plaisir, s'attendant à ce que le loup réagisse.

Mais la forme noire restait immobile, tête penchée au-dessus du trou d'eau.

Le lièvre rassembla tout son courage et demanda à voix haute :

– Que fais-tu ici, Frère Loup ?

Mais le loup ne répondit pas.

– Si tu continues à boire comme ça, il n'en restera pas pour moi ! lança le lièvre exaspéré.

Mais le loup ne réagit pas. Alors le lièvre cria :

– Hé ! Loup ! Tu n'entends rien ou quoi ? Je t'ai demandé ce que tu faisais ici !

À ce moment-là, la lune, entre deux nuages, éclaira le dos de la forme noire et le lièvre eut l'impression que la forme bougeait ; comme si elle était secouée d'un éclat de rire moqueur.

Le lièvre entra alors dans une colère terrible. Il oublia même qu'il n'était qu'un lièvre et bondit vers le loup en hurlant de fureur :

– Fiche le camp d'ici, sale animal, tu as assez bu à présent !

Mais bien sûr, le loup ne bougea pas.

Le lièvre s'approcha si près de Loup qu'il lui donna un coup de patte. La glu se colla immédiatement à la patte du lièvre. Mais le lièvre, emporté par la colère, ne s'aperçut de rien. Il hurla encore plus fort :

– Je vais te ratatiner !

Et, en disant cela, il se jeta de toutes ses forces contre le loup, pattes en avant. C'est alors qu'il se sentit complètement englué. Mais plus il essayait de se

décoller du loup, plus il se mettait de la glu partout. Il essaya de rouler dans l'herbe pour se dégager mais il entraîna avec lui la forme noire qui se mit à rouler, elle aussi.

Bientôt, tous deux ne formèrent plus qu'une seule grosse boule collante et poisseuse.

C'est alors que les autres animaux sortirent de leur cachette. Ils dégagèrent le lièvre, l'aidèrent à se nettoyer, sans dire un mot. Bien sûr, le lièvre comprit ce que les autres pensaient de lui. Il en eut tellement honte qu'il creusa un trou et s'y cacha. Il espérait que, s'il ne se montrait pas trop, les autres animaux finiraient par oublier ce qu'il avait fait.

Et c'est depuis ce jour que les lièvres creusent des terriers pour y vivre et qu'ils en sortent le moins souvent possible.

L'ours et le renard

Un jour, le renard s'approcha du village des hommes car il n'avait rien trouvé à manger dans la grande prairie. Il s'approcha d'un tepee, et voyant un poisson en train de cuire sur des braises rouges, il le vola et se sauva au plus vite. Il était fier d'avoir pu à si bon compte se procurer un bon repas.

Tout à coup, il aperçut l'ours qui arrivait en se dandinant. Et flip ! et flop ! et flip ! et flop !

Notre renard grimpa dans le premier arbre venu et commença à manger son poisson en faisant le plus de bruit possible avec ses mâchoires : et miam ! et re-miam ! et miam ! et re-miam !

Lorsque l'ours, toujours en se dandinant, arriva sous l'arbre, le renard lui lança un petit bout de poisson cuit sur la tête.

– Qu'est-ce que c'est ? grogna l'ours, en se léchant le museau.

Un autre morceau lui tomba sur le nez et l'ours, tout en l'avalant, regarda en l'air.

– Que faites-vous là-haut ? demanda l'ours au renard.

– Je mange, je déguste, je savoure, je me régale, je festoie, et miam ! et re-miam !

– Et que mangez-vous donc ? demanda à nouveau l'ours.

– Du bon poisson que j'ai pêché, pardi ! Oh que miam ! et re-miam !

– Et où l'avez-vous pêché ?

– Miam, miam, miam, au bord de l'étang, voyons ! C'est là que ceux qui aiment le bon poisson vont pêcher… Miam, miam et re-miam !

– Ah, dit l'ours en baissant la tête. C'est que moi, je ne sais pas pêcher. Je suis si lourd que dès que j'approche de l'étang, les poissons s'enfuient. Or j'ai très faim. Est-ce que vous voudriez me donner encore un peu de votre poisson, s'il vous plaît ?

– Ah ça non, répondit le renard. Cela suffit comme ça. Allez donc le pêcher vous-même !

– Mais c'est impossible, s'exclama l'ours. D'ailleurs l'étang est gelé.

– Justement, répondit le renard. J'ai bien pêché le mien dans l'eau gelée, alors…

– Mais, dit l'ours en se grattant la tête, comment avez-vous fait ?

– Rien de plus facile, expliqua le renard. J'ai cassé un peu de glace près du bord de l'étang. Le printemps n'est plus si loin et la glace est fragile à cet endroit. Ensuite, j'ai trempé ma queue dans le trou et je me suis assis. Vous voyez, rien de bien compliqué. Et j'ai attendu, la queue dans l'eau, sans bouger surtout et sans me retourner. Au bout d'un moment, j'ai senti que tous les poissons venaient se prendre à ma queue.

– Ah… dit l'ours qui écoutait en hochant la tête.

– Vous voyez, ajouta le renard, rien de bien compliqué. Allez-y voir vous-même et quand vous aurez pêché suffisamment de poissons, je promets de vous les faire cuire. N'est-ce pas ainsi qu'ils sont les meilleurs ?

L'ours s'éloigna, pressé d'arriver à l'étang. En même temps, il se demandait si le renard lui avait bien dit la vérité. Il le connaissait ce renard et ses tours de méchant ! Mais cet ours était si gourmand qu'il en oublia toute prudence. C'est qu'il avait vraiment faim ce jour-là. Il faut dire que ses réserves de graisse étaient presque épuisées, donc il voulait manger ! Et puis les deux petits morceaux de poisson cuit du renard lui avaient ouvert l'appétit.

« Après tout, pourquoi ne pas essayer ? », se dit-il. Il se rendit au bord de l'étang. Le renard l'avait suivi en cachette et l'observait à distance. L'ours brisa un peu de glace, il s'assit et attendit. Il attendit la queue dans l'eau, sans bouger et sans se retourner, comme l'avait indiqué le renard.

À cette époque-là, il faut que vous le sachiez, l'ours avait une queue au moins aussi longue et aussi belle que celle du renard.

Seulement voilà, sa queue avait beau être touffue, l'ours commença à sentir le froid la traverser ; pourtant il ne bougea pas. Le grand esprit de l'hiver passant par là, haussa les épaules devant tant de bêtise. La neige, elle, eut pitié de l'ours, elle se fit molle et coulait dans les yeux de l'ours pour l'obliger à se lever. L'ours clignait des paupières comme un malheureux, mais il ne bougeait toujours pas. Le vent du Nord, lui-même, ne put rester indifférent. Il souffla fort, il tourbillonna en hurlant autour de l'ours. Mais l'ours ne bougeait toujours pas. Il pensait à son abri qu'il avait quitté. Il pensait à tous les poissons qu'il allait dévorer. Il les sentait se presser autour de sa queue et cela lui donnait du courage.

Il resta ainsi longtemps, immobile, assis, sans bouger ni se retourner. Sa queue devenait de plus en plus lourde. Il la croyait chargée de poissons. Mais quand il se décida enfin à se relever et qu'il voulut retirer sa queue de l'étang, impossible : elle était prise dans la glace.

Il essaya à plusieurs reprises, tirant de toutes ses forces. Rien à faire. Alors il appela à l'aide :

– Renard ! Mon ami renard ! Au secours, viens m'aider !

Le renard resta encore un moment dans sa cachette, puis voyant l'ours tout à fait prisonnier, il s'approcha en riant. Il riait fort, de plus en plus fort. Il riait si fort que les chiens du village voisin l'entendirent et accoururent en aboyant. C'était ce que voulait le renard qui, au lieu de se sauver dans les fourrés, courut tout près de l'étang, à l'endroit même où se trouvait l'ours. Les chiens, voyant l'ours en difficulté, l'attaquèrent, mais il se défendit si bien que les chiens abandonnèrent la partie et se mirent à la poursuite du renard.

L'ours, en combattant avec les chiens, s'était tellement débattu que sa queue s'était brisée. Il rentra chez lui l'estomac vide et la tête basse. Au loin, il entendait les chiens lancés sur la piste du renard et cette pensée le réconforta un peu. C'est depuis ce temps que les ours ont une queue si courte.

Les loups et les cerfs

Un jour, tous les loups de la région se rassemblèrent au bord de la rivière pour faire une grande fête. Il y avait là toutes sortes de loups : de très jeunes louveteaux, des groupes entiers de loups adultes, quelques vieux loups solitaires, et même deux ou trois loups blancs. Lorsque tous les loups eurent rejoint la rivière, ils entonnèrent le long et interminable chant des loups. Cela fit tant de bruit que les autres animaux s'enfuirent à toutes pattes, le plus loin possible de ce vacarme. Les poissons qui nageaient tranquillement dans la rivière s'enfoncèrent profondément dans la vase pour ne plus rien entendre. Certains même se réfugièrent sous d'énormes rochers gris.

Le saumon, quant à lui, se mit à sauter pour s'éloigner de ce raffut. Il bondit par-dessus les chutes et les rapides et remonta ainsi la rivière à contre-courant. C'est d'ailleurs depuis ce jour que les saumons savent surmonter tous les obstacles pour remonter les rivières jusqu'à leur source.

Le soleil, lui-même, qui se trouvait pourtant haut dans le ciel ne supporta pas très longtemps le long et interminable chant des loups. Ce jour-là, il se coucha de bonne heure, se réfugiant derrière une armée de nuages sombres et épais.

La lune, elle, appréciait le concert des loups. Elle s'installa, toute ronde, au-dessus de l'assemblée. Les loups, ravis d'avoir une spectatrice de cette qualité, reprirent leur chant de plus belle.

Et cela dura une grande partie de la nuit. À la fin, les loups, lassés de chanter, se mirent à se raconter des histoires. Les jeunes louveteaux, excités par le chant et les retrouvailles, se calmèrent aussitôt et prêtèrent l'oreille à leurs aînés. Les vieux loups racontaient leurs exploits. Ils montraient leurs cicatrices aux plus jeunes.

Il faut savoir que de l'autre côté de la rivière, des cerfs s'étaient regroupés, lorsque le long et interminable chant des loups avait cessé. Ils se tenaient là, dissimulés par la brume et écoutaient en riant les histoires des loups. Ils se moquaient d'eux, car il est bien connu que les animaux ne croient qu'aux histoires de leur propre clan. Ainsi, les cerfs se moquaient des loups, car ils se sentaient à l'abri, cachés derrière le rideau de brume qui enveloppait la rivière.

– Qui ose se moquer de nous ? leur demanda-t-on de l'autre côté de la rive.

Les cerfs ne s'arrêtèrent pas pour autant. Au contraire, ils reprirent leurs rires de plus belle.

Mais voilà que le soleil réalisa, lui aussi, que le long et interminable chant des loups avait cessé. Il se frotta les yeux pour se réveiller et déchira la brume sur la rivière pour voir ce qui se passait sur terre, de si bon matin.

– Alors les cerfs, crièrent les loups par-dessus l'eau, c'est vous qui riez de si bon cœur ! Mais vous ne savez pas rire comme il faut. Regardez-nous et écoutez !

Et les loups ouvrirent grand leur gueule. Ils retroussèrent leurs babines et se mirent à rire très fort. Leurs bouches ouvertes découvraient des crocs acérés qui étincelaient au soleil levant.

– Ha ! ha ! ha ! riaient les loups. Ha ! ha ! ha !

Ils riaient si fort qu'ils réveillèrent la forêt. Les cerfs , au lieu de se taire, crurent bon de surenchérir à leur tour :

– À nous de rire maintenant, dirent-ils. Mmmm... mmm... mmm...

Mais les cerfs riaient la bouche fermée. Ce qui provoqua un fou rire du côté des loups.

– Mais enfin les cerfs ! dirent-ils, il faut ouvrir la bouche pour rire.

– Mmmm... mmm... mmm...

Les cerfs murmuraient toujours. Certains se risquèrent pourtant à ouvrir la bouche, découvrant des mâchoires ridicules, à demi édentées.

Alors les loups comprirent pourquoi les cerfs ne pouvaient pas rire convenablement. Ils regardaient avec étonnement ces si grands corps, têtes ornées de bois majestueux, qui possédaient de si ridicules mâchoires. Et plus les loups regardaient les cerfs, et plus l'eau leur montait à la bouche. C'étaient des proies si faciles ! À la fin, les loups n'y tinrent plus. D'un bond, ils sautèrent dans la rivière et se mirent à nager vers l'autre rive.

Les cerfs, bien sûr, s'enfuirent aussitôt, mais les loups les poursuivirent et ne perdirent jamais leur trace.

D'ailleurs, à l'heure qu'il est, les cerfs courent encore et les loups les pourchassent toujours.

Yakawi au pays des aigles

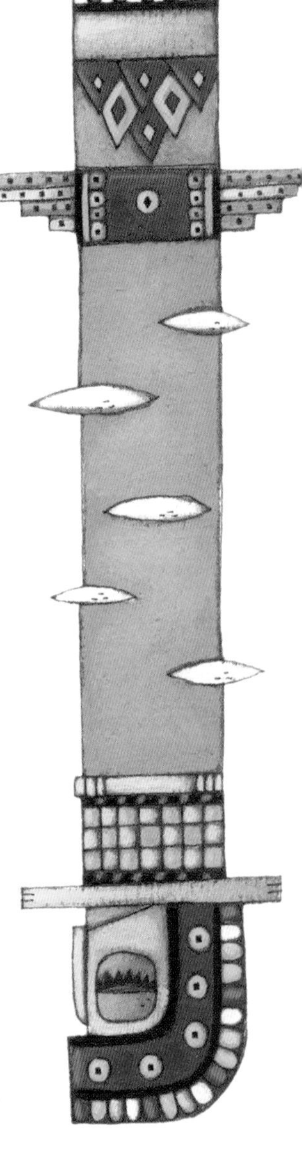

En ce temps-là, les aigles étaient blancs. Lorsqu'ils planaient très haut, au-dessus du village des hommes, ils ressemblaient à de petits flocons de neige, bercés par le vent.

Un jeune Indien, du nom de Yakawi, vivait dans un tepee avec ses trois sœurs. Un jour qu'il était parti chercher des fruits sauvages dans la forêt, il découvrit près d'un buisson un jeune aigle blanc blessé. Yakawi pensa : cet oiseau est trop jeune pour voler. Il a dû tomber du nid, il a besoin d'être soigné. Yakawi le rapporta chez lui et lui fabriqua une grande cage qu'il accrocha dans l'arbre devant son tepee.

Or, depuis que Yakawi avait ramené le jeune aigle blanc au village, il n'aidait plus ses sœurs comme il le faisait auparavant. Il n'allait plus travailler dans les champs, il n'allait plus chercher de l'eau pour faire cuire le maïs, il n'allait plus ramasser du bois mort pour allumer le feu. Ses journées, il les passait à chasser pour nourrir son aigle blanc.

Ses sœurs étaient furieuses. Elles n'arrêtaient pas de se plaindre. Mais Yakawi ne voulait rien entendre ; si bien qu'un jour, elles se réunirent sous l'arbre devant le tepee et mirent au point un plan pour se débarrasser de l'aigle blanc.

Celui-ci avait tout entendu. Lorsque Yakawi revint de la chasse, les trois sœurs partirent immédiatement travailler dans les champs. Yakawi rapportait un magnifique lapin qu'il offrit à son aigle blanc. Mais pour la première fois, l'aigle détourna la tête du lapin et son regard était plein de tristesse.

– Que se passe-t-il ? s'étonna Yakawi.

– Laisse-moi m'en aller. Je ne veux plus rester ici.

– Et pourquoi ? demanda Yakawi.

– Parce que je veux retourner chez moi, dans ma famille.

Yakawi sentit son cœur se serrer.

– Mais n'es-tu pas heureux avec moi ? Est-ce que je ne m'occupe pas bien de toi ?

– Si, je suis très heureux avec toi, soupira l'aigle, mais tes sœurs veulent me tuer. Laisse-moi partir si tu ne veux pas me voir mourir.

– Je ne veux pas que tu meures, dit Yakawi. Mais si tu dois partir, je partirai aussi.

– C'est bien, dit l'aigle. Dans ce cas, va chercher de la nourriture. Il nous en faut suffisamment pour le voyage.

Yakawi remplit une sacoche de viande fumée et s'empara d'un sac de maïs.

– Ouvre la cage, ordonna l'aigle.

Yakawi ouvrit la cage et l'aigle en sortit.

– Monte sur mon dos, ordonna l'aigle.

Yakawi s'installa sur le dos de l'aigle.

– Ferme les yeux Yakawi, car tu ne dois pas voir le chemin que nous allons parcourir.

Yakawi ferma les yeux et l'aigle s'éleva dans les airs. Il s'envola au-dessus du champ où travaillaient les trois sœurs de Yakawi.

– N'ouvre pas les yeux, expliqua l'aigle. Mais chante pour que tes sœurs te voient. Ainsi, elles sauront que tu pars.

Yakawi chanta et sa voix attira l'attention des jeunes filles. Elles levèrent les yeux et virent Yakawi installé sur le dos de l'aigle.

Elles l'appelèrent :

– Yakawi, ne t'en va pas ! Tu es notre frère, Yakawi, regarde-nous !

Mais Yakawi garda les yeux fermés. L'aigle tournoya plusieurs fois dans le ciel puis il s'éleva au-dessus des nuages.

Yakawi et l'aigle traversèrent ainsi le premier ciel. Une fois le premier ciel traversé, ils atteignirent le second ciel. Dans le second ciel vivaient les corbeaux.

Après le pays des corbeaux, par-delà les mers de nuages et les grandes dunes de brume, se trouvait le troisième ciel. Le troisième ciel était le pays des éperviers.

Enfin, ils arrivèrent au quatrième ciel. C'était le pays des aigles. Yakawi fut enfin autorisé à ouvrir les yeux. Il ne pouvait pas savoir où il se trouvait car le village où ils étaient arrivés ressemblait à son propre village ; des tepees décorés étaient regroupés autour d'une grande place ronde.

L'aigle se posa au sommet du plus grand tepee. Tout en haut, il y avait une ouverture, et de cette ouverture pendait une échelle de corde. L'aigle blanc et Yakawi descendirent dans le tepee. L'oiseau prit alors un couteau de silex posé près du foyer. D'un coup sec, il fendit de haut en bas son enveloppe d'aigle et une jeune fille apparut. Yakawi poussa une exclamation de surprise. Mais il n'eut pas le temps de poser la moindre question car, à l'extérieur, un grand bruit d'ailes retentit.

La jeune fille, suivie de Yakawi, sortit du tepee et gagna la grande place ronde. Là, un magnifique aigle blanc était en train de se poser en son centre. Il portait, dans ses serres, un daim qu'il jeta à terre.

Puis il enleva son enveloppe d'aigle et un homme apparut. Et c'est un deuxième aigle qui se posa sur la grande place ronde. Il tenait, lui aussi, dans ses serres, un daim qu'il jeta à terre. Puis un troisième aigle se posa ; il ramenait un chevreuil... Bientôt, ils furent quarante rassemblés sur la grande place ronde : vingt hommes et vingt femmes. Chacun avait rapporté le produit de sa chasse et chacun s'était débarrassé de son enveloppe d'aigle.

Lorsque tous furent arrivés, la jeune fille qui avait amené Yakawi sur son dos s'approcha de celui qui semblait être leur chef. Elle lui parla longuement à voix basse. Le chef dit à Yakawi :

– Bienvenue chez nous, fils. Mitocoosis, ma fille, me dit que tu lui as sauvé la vie. Si tu te maries avec elle, nous partagerons avec toi tous nos secrets. Nous te ferons une enveloppe d'aigle et tu pourras rester avec nous pour toujours.

Yakawi aimait Mitocoosis. Il choisit de l'épouser. Les aigles lui préparèrent une magnifique enveloppe d'aigle. Pour cela, ils découpèrent une peau de daim et chacun s'arracha un peu de duvet qui fut cousu sur la peau. Puis chaque aigle donna quelques plumes de son aile droite pour l'aile droite de Yakawi. Puis chaque aigle donna quelques plumes de son aile gauche pour l'aile gauche de Yakawi, et quelques plumes de son dos, pour le dos de Yakawi, et quelques plumes de sa poitrine pour la poitrine de Yakawi, et quelques plumes de sa queue pour la queue de Yakawi, et enfin quelques plumes de sa tête pour la tête de Yakawi.

Pour finir, on lui fabriqua un bec solide et de puissantes serres. À la fin, Yakawi put revêtir son enveloppe d'aigle.

Chaque matin, les aigles s'habillaient pour aller à la chasse et s'envolaient pour rejoindre la terre. Ils rentraient le soir, chargés de lapins, de daims ou de chevreuils. Si Yakawi avait une enveloppe d'aigle, il ne savait pas voler. Mitocoosis fut chargée de lui enseigner comment volent les aigles. Elle le fit monter au sommet d'un tepee. Yakawi s'élança, il déplia ses ailes du mieux qu'il put, mais il tomba. Il essaya encore et encore et tomba ainsi plusieurs fois de suite. Puis petit à petit, il commença à voler.

– Maintenant, lui dit Mitocoosis, il faut que tu apprennes à chasser comme les aigles.

Alors ils descendirent sur terre. Ils traversèrent d'abord le pays des éperviers, puis celui des corbeaux, avant d'arriver au pays des hommes. Yakawi survola son village et la forêt où il avait trouvé l'oiseau blessé. Mais quand il essaya de chasser comme un aigle, cela lui parut impossible. Il n'avait plus ni arc, ni flèches. Il manqua un premier lapin, puis un deuxième, puis un troisième. Il était découragé.

Ce fut Motocoosis qui attrapa un daim pour eux deux. Yakawi se sentait terriblement fatigué.

Ils firent alors quelque chose que ne font jamais les aigles sur terre : ils enlevèrent leurs enveloppes et s'assirent au bord d'un ruisseau pour se reposer avant de remonter au pays des aigles. C'était courir un danger mortel que de se reposer ainsi sur la terre des hommes.

Le retour fut difficile. Mitocoosis volait près de Yakawi pour l'empêcher de tomber. Enfin, ils atteignirent le pays des corbeaux, puis celui des éperviers et finalement, ils arrivèrent au pays des aigles où l'on commençait à s'inquiéter pour eux. Ils furent accueillis avec joie.

Yakawi était très fatigué. De la provision de maïs et de viande fumée qu'il avait apportée lors de son premier voyage, il ne restait presque plus rien. Ce soir-là, il mangea les derniers grains de maïs. Le lendemain matin, Mitocoosis s'aperçut qu'il ne mangeait pas, comme les autres aigles le faisaient.

– Tu as besoin de reprendre des forces Yakawi, car nous devons repartir à la chasse aujourd'hui. Pourquoi ne manges-tu pas ?

Yakawi soupira.

– Je n'ai plus de maïs, ni de viande séchée... et je n'arrive pas à manger de la viande crue comme vous.

– Tu dois pourtant essayer de le faire. Tu as bien réussi à apprendre à voler !

Yakawi essaya donc de manger de la viande crue, mais c'était impossible. Cela le rendait malade.

Lorsque Mitocoosis et lui descendaient dans la prairie, Yakawi tentait de trouver suffisamment de fruits sauvages pour se nourrir, mais il ne pouvait pas s'attarder, de peur d'être tué par un chasseur.

Un matin, Yakawi se leva plus faible que jamais.

Il appela Mitocoosis et lui dit :

– Il faut que je parte si je ne veux pas mourir.

– Mais je ne veux pas que tu partes, protesta Mitocoosis.

Le chef des aigles passait par là. Il les entendit.

– Puisque Yakawi ne peut pas manger de la viande crue, déclara le chef des aigles, nous l'aiderons à la fumer ou à la faire cuire. Il suffira que chaque soir, chaque aigle rapporte, en plus du gibier, quelques glands, de l'écorce sèche ou un morceau de bois.

Le soir même, les aigles rapportèrent des glands, de l'écorce sèche et des morceaux de bois. Yakawi prépara le feu et tous les aigles l'aidèrent en battant des ailes pour aviver les flammes. Le feu ayant pris, Yakawi mit la viande à cuire.

Et pour que le feu chauffe bien, les aigles continuèrent à battre des ailes en tournant autour du foyer.

Et c'est à force de voler autour du feu qu'ils devinrent gris. Lorsqu'ils s'en aperçurent, les aigles essayèrent bien de blanchir leurs plumes, mais sans succès.

Et c'est depuis ce temps que les aigles sont gris et qu'ils le sont encore aujourd'hui.

Le lapin, le chat sauvage et les dindons

Le chat sauvage avait toujours faim mais il ne savait pas chasser. C'était là son problème. Il n'arrivait même pas à attraper une souris !

Un jour, il décida de s'approcher du village indien, au pied du Rocher Pointu, pour voir s'il ne pourrait pas trouver quelque chose à se mettre sous la dent.

Il descendit la colline, longea le canyon et s'arrêta tout à coup devant un lapin endormi.

Le chat sauvage ne pouvait en croire ses yeux. Devant lui, le lapin faisait un petit somme, dans la chaleur de l'après-midi. Seules ses moustaches frissonnaient, secouées légèrement par le vent qui glisse sur la prairie. C'était vraiment trop facile !

– Allons, réveille-toi ! cria le chat sauvage dans les longues oreilles du lapin.

Le lapin sursauta, se redressa d'un bond et se mit à trembler aussitôt. Le chat sauvage avait posé sa patte sur la longue queue du lapin – car en ce temps-là, les lapins avaient encore une longue queue – pour qu'il ne puisse pas s'enfuir.

– Tu peux me remercier, ajouta le chat sauvage. Ce n'est bon pour personne de rester ainsi endormi au soleil. Heureusement que je t'ai réveillé, tu risquais d'attraper une insolation. Mais même si je t'ai rendu un grand service, je suis désolé de t'annoncer que je vais quand même te manger.

Et disant cela, il appuya un peu plus fort sur la queue du lapin. Le lapin se mit à trembler de tous ses poils. Il était incapable de bouger tant il était paralysé par la peur. Mais il parvint tout de même à se ressaisir. Il entreprit alors de charmer le chat sauvage, car c'était sa dernière chance.

– Seigneur, vous êtes bon et brave. Vous auriez pu me croquer sans même me réveiller. Et vous avez raison : ce n'est pas bien de faire la sieste en plein soleil. Aussi, Seigneur, je tiens à vous remercier et si vous le souhaitez, je vous indiquerai une proie bien meilleure que moi. Qu'en dites-vous ?

– Voyons, dit le chat sauvage, en soufflant son haleine dans le museau du lapin. Je le veux bien, mais ne crois pas que je ne te mangerai pas, toi aussi, car j'ai vraiment trop faim.

Juste à ce moment-là, il y eut un léger bruit aux alentours. Le lapin redressa ses oreilles :

– Vous entendez, Seigneur, ce sont les dindons ; les bons, les gros, les gras dindons qui se promènent dans les environs. C'est une chance pour vous, Seigneur – et pour moi aussi, murmura-t-il tout bas – que leur piste passe près d'ici. Tout seul, vous ne pourriez la découvrir, mais je me propose de vous y conduire sur-le-champ.

Le chat sauvage trouva que l'idée était bonne.

– Vite, venez avec moi, dit le lapin qui avait bien trop peur que le chat sauvage change d'avis et le dévore, lui.

– Ça va, ça va, répondit le chat sauvage, en relâchant la pression de sa patte sur la queue du lapin. Nous aurons vite fait de les rejoindre.

– C'est vrai, dit le lapin, mais le mieux serait de les surprendre. Voilà mon plan : nous avancerons près de la piste qu'ils empruntent, vous vous coucherez sur le chemin et ferez semblant d'être mort ; ainsi vous n'aurez qu'à choisir le plus dodu, le plus gros, le plus gras de toute la tribu des dindons. Allons, suivez-moi et pas un bruit !

Et les voilà partis. Comme deux ombres, ils se faufilèrent dans les herbes hautes et croisèrent bientôt la piste des dindons.

– Vite Seigneur, couchez-vous là ! lança le lapin. Je les entends qui approchent.

Le chat sauvage fit ce qu'on lui disait. Il s'allongea au beau milieu de la piste et ferma les yeux. Le lapin s'avança à la rencontre des dindons. Il était temps : il les trouva dans le premier virage.

– Gowa ! dit-il en les saluant. Savez-vous qui je suis ? Je suis le lapin qui vient de tuer un chat sauvage.

Bien entendu, les dindons ne voulurent pas le croire. Leur chef se moqua du lapin :

– Tu n'es qu'un petit lapin ridicule. Passe ton chemin.

Et comme le lapin insistait, le chef des dindons le bouscula en lui disant :

– Moi, je ne crois que ce que je vois.

– Cela tombe bien, répondit aussitôt le lapin. Le chat sauvage est juste là, derrière le virage. Suivez-moi et vous verrez que je dis bien la vérité. À moins que vous n'ayez peur…

Si le chat sauvage est affamé et le lapin malin, le dindon, lui, est orgueilleux. Comment laisser croire à un lapin qu'un dindon peut avoir peur ? Aussi tous les dindons, le chef en tête, suivirent le lapin sans trembler. Ils s'approchèrent du chat sauvage qui faisait toujours semblant d'être mort. Le lapin pendant ce temps se vantait :

– Oui, oui, ce ridicule minet, je l'ai expédié de l'autre côté d'un seul coup de tomahawk !

À présent les dindons glougloutaient d'admiration et de plaisir. Jamais de leur vie, ils n'avaient eu l'occasion de voir un chat sauvage de si près !

Le lapin, sa mission accomplie, recula discrètement, pas après pas. À bonne distance, et des dindons, et du chat sauvage, il s'arrêta pour voir ce qui allait se passer. Tous les dindons formaient à présent une ronde autour du chat sauvage, quand tout à coup celui-ci, d'une seule détente, bondit griffes en avant vers le plus gros, le plus dodu, le plus gras des dindons. Il s'en empara et emporta au plus vite sa proie en haut de l'arbre le plus proche.

Les dindons affolés se sauvèrent en gloussant furieusement contre le chat sauvage et surtout contre le lapin qui les avait trompés.

– Nous nous vengerons, décida le chef des dindons, rouge de colère.

Les dindons se rassemblèrent dans leur pré au bout de la piste. Là, le chef choisit, parmi ses dindons, les guerriers les plus puissants et il les entraîna à la poursuite du lapin.

Le lapin, lui, avait déjà tout oublié. Il grignotait tranquillement de la bonne herbe tendre lorsqu'il vit approcher les guerriers dindons tout peinturlurés en signe de guerre. Vite, il s'élança pour leur échapper. Il courait de buisson en buisson, mais les dindons le poursuivaient. Il longea le grand canyon, mais les dindons le poursuivaient. Il gagna les herbes hautes, mais les dindons le poursuivaient. Il escalada puis dégringola la colline, mais les dindons le poursuivaient. Il bondit enfin par-dessus la rivière, mais les dindons bondirent aussi, toujours à sa poursuite, le serrant de plus en plus près. Alors il eut l'idée de se cacher dans le terrier d'un blaireau, mais avant qu'il ait pu s'y faufiler, le chef des dindons l'attrapa par la queue et ne le lâcha plus. Malgré la douleur, le lapin s'agrippait aux parois du terrier, se cramponnant aux racines pour ne pas lâcher prise. À l'autre bout de la queue, le chef des dindons tirait lui aussi, aidé par tous ses guerriers.

Et c'est ainsi que le lapin perdit sa longue queue. Il resta un long moment dans le terrier du blaireau, tout tremblant, à contempler le ridicule petit bout de queue qui lui restait.

Les dindons, eux, accrochèrent la queue du lapin au bout d'un long bâton, comme un scalp, et l'emportèrent chez eux en criant victoire.

Le lapin, une fois remis de ses émotions, ne se tracassa plus longtemps pour sa longue queue disparue. Il s'aperçut bien vite qu'une queue courte, c'est très commode pour la course. Et c'est pourquoi il l'a gardée jusqu'à présent.

Les mocassins de l'ours

Savez-vous pourquoi l'ours marche en se dandinant ? Cela remonte au temps le plus ancien, le temps d'avant le temps. En ce temps-là, le soleil n'en faisait qu'à sa tête. Il brillait la nuit, se couchait le jour. Il n'était pas rare qu'il restât dans le ciel une semaine d'affilée, brûlant tout sur son passage, puis qu'il disparaisse ensuite un mois entier. Et le monde se retrouvait alors plongé dans la plus profonde obscurité.

À la fin, les animaux de jour et les animaux de nuit en eurent assez. Ils se réunirent en conseil, dans la grande plaine, pour trouver une solution à ce problème.

Le chien de prairie eut toutes les peines du monde à sortir de son terrier, la chouette clignait des yeux rougis de fatigue, le loup hurlait à la lune, et les vers luisants s'accrochaient désespérément les uns aux autres en une longue chaîne de protestation. L'ours, quant à lui, avait retiré ses mocassins et se frottait le bout des pattes endolories, car il était venu de très loin pour participer à cette réunion extraordinaire.

Lorsque tous furent réunis dans la grande plaine, les animaux de jour et les animaux de nuit se mirent à parler ensemble. Ils discutèrent longuement. Ils discutèrent tant et tant qu'ils finirent par se disputer. La grande plaine se transforma bien vite en un immense champ de bataille. Et au-dessus de ce champ, s'élevait un énorme nuage de poussière. Le soleil, qui passait par là, aperçut le nuage de poussière. Comme il était très curieux, il se rapprocha de la terre pour voir ce qui se passait. Mais le nuage de poussière était si épais que le soleil n'arriva pas à voir au travers. Alors il s'approcha encore. Sa chaleur immense dispersa la poussière et quand ils l'aperçurent, les animaux de jour et les animaux de nuit s'enfuirent aussi vite qu'ils le purent.

Seul l'ours, qui avait égaré ses mocassins dans la bataille, voulut les rechausser. Dans sa précipitation, il se trompa de pied, enfilant sa patte droite dans le mocassin gauche et sa patte gauche dans le mocassin droit. Et c'est depuis ce jour, ce jour d'avant le temps, que l'ours marche toujours en se dandinant.

Le lièvre et le feu

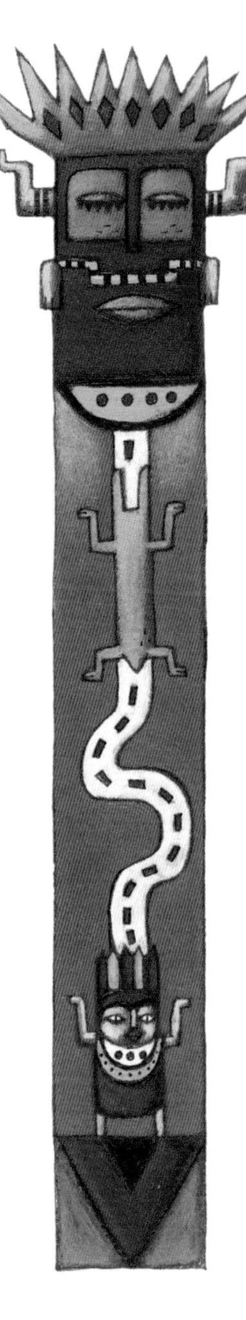

Ceci se passait à l'époque où les esprits erraient encore sur la terre. Ils pouvaient prendre l'apparence d'animaux ou même transformer les êtres humains selon leurs désirs.

À cette époque-là vivait un jeune garçon qui s'appelait Iktomini. Il vivait dans un pauvre wigwam avec sa grand-mère. Il n'avait jamais connu ses parents. Quand parfois il demandait à sa grand-mère :

– Mais où sont mes parents, qui sont-ils ?

Elle répondait toujours ainsi :

– Ta mère est morte peu après ta naissance. C'était ma fille. Ton père, lui, est le vent d'Ouest.

Iktomini écoutait la réponse de sa

grand-mère sans vraiment comprendre. Parfois il demandait aussi :

– Grand-mère, je voudrais savoir où se trouvent les autres hommes ?

À ça, la grand-mère répondait :

– Il y a partout, sur terre, d'autres hommes. Les plus proches se trouvent à l'Est, de l'autre côté de la mer.

Quand elle parlait de la mer, c'était du grand lac, bien sûr, qu'elle parlait en vérité. Mais il était si grand, ce lac, qu'il ressemblait vraiment à une mer.

Un jour, Iktomini demanda :

– Grand-mère, dis-moi, est-ce que les hommes de l'Est possèdent du feu ?

– Oui, mais tu perdrais ton temps à aller leur en demander, répondit la grand-mère, car ils le gardent jalousement et ne veulent pas le partager.

– Pourtant nous aurions bien besoin de feu nous aussi, pour faire fuir les bêtes féroces, pour nous éclairer dans la nuit et nous réchauffer lorsque les jours raccourcissent.

– C'est vrai, dit la grand-mère en hochant la tête. Mais ils ne t'en donneront pas pour autant.

Iktomini décida quand même d'aller chercher du feu.

– Grand-mère, je suis décidé : je rapporterai le feu. Attends-moi et tiens-toi prête. Je vais partir de l'autre côté de la mer.

Et c'est ainsi qu'Iktomini se mit en route. Arrivé au bord du lac que sa grand-mère appelait mer, il lança d'une voix forte :

– Je veux que l'eau de cette mer se change en glace !

Et aussitôt, l'eau du lac se changea en glace épaisse. Alors Iktomini continua :

– Je veux devenir un lièvre et courir sur cette glace.

Et aussitôt voilà Iktomini changé en lièvre et voilà le lièvre qui court sur la glace. Il court très vite sur la glace solide. Il court et il arrive de l'autre côté du grand lac.

Près des rives du grand lac se trouvait le village de l'Est, celui dont lui avait parlé sa grand-mère, où l'on gardait le feu.

Iktomini réfléchit, puis il s'approcha de la source où les femmes du village venaient puiser de l'eau.

Quelques secondes après, Iktomini vit s'approcher une jeune fille. C'était la fille du gardien du feu.

Aussitôt il se roula dans la terre humide. Et voilà Iktomini, pauvre lièvre minuscule, trempé et tremblant de tous ses poils.

La jeune fille le prend dans ses bras, l'essuie soigneusement avec des herbes sèches. Mais le petit lièvre tremblait toujours. Alors la jeune fille décida de l'emporter chez elle pour le réchauffer.

Une fois dans le wigwam, Iktomini vit le gardien du feu près du foyer. C'était un guerrier redoutable dont il fallait se méfier. Heureusement pour Iktomini, il n'avait pas vu sa fille entrer dans le wigwam. La jeune fille posa le lièvre grelottant près du foyer pour qu'il se sèche et se réchauffe.

Iktomini sentait la douceur des flammes sur son pelage ; son cœur dansait de joie. Quand la jeune fille le vit agiter les oreilles, remuer la queue et lui jeter un regard coquin, elle ne comprit pas qu'il se moquait d'elle et se mit à rire elle aussi.

Le gardien du feu leva la tête :

– Pourquoi ris-tu toute seule, ma fille ?

La jeune fille montra le lièvre, mais son rire s'arrêta net car le gardien du feu entra dans une colère terrible :

– Emporte immédiatement cet animal hors du wigwam. Ne sais-tu pas que les esprits peuvent prendre, s'ils le souhaitent, l'apparence d'animaux !

La jeune fille s'approcha du foyer, comme pour obéir à son père, mais au lieu de saisir le lièvre et de le chasser hors du wigwam, elle se mit à le caresser et l'approcha un peu plus du feu.

Iktomini était sec à présent et il commençait à avoir trop chaud. Il était temps d'en finir. Il chuchota :

– Je veux qu'une étincelle saute sur mes poils.

À peine avait-il prononcé ces mots qu'une étincelle bondit du foyer et lui tomba sur le dos. Vite, il s'échappa des mains qui le caressaient. Il s'élança aussi vite qu'il put hors du wigwam et il courut, courut droit devant lui.

Le gardien du feu se leva d'un bond. Et sous le regard étonné de tous les membres du village, il s'élança à la poursuite du lièvre. Il se sentait une force incroyable et se disait : « Je dois à tout prix rattraper ce voleur. Car ce lièvre est un esprit qui a volé de notre feu. »

Arrivé au bord du lac, le gardien du feu voulut prendre une pirogue pour rattraper le lièvre. Mais la glace empêchait la pirogue de naviguer. Et il ne put que regarder le lièvre disparaître sur la glace. Cela faisait une tache de lumière qui brillait dans le lointain et qui devenait de plus en plus petite, au fur et à mesure que le lièvre s'éloignait.

Iktomini courait, courait. Et c'est ainsi qu'il arriva au wigwam de sa grand-mère :

– Es-tu prête grand-mère ? Es-tu prête ? Vite, grand-mère, attrape le feu sur mon dos car je brûle !

La grand-mère fit tomber le feu sur un petit tas de feuilles et de brindilles sèches et Iktomini se transforma à nouveau en homme.

C'est la grand-mère qui devint à partir de ce jour la gardienne de ce nouveau feu. Elle l'entretenait chaque jour et chaque nuit.

Grâce au feu qu'il possédait, Iktomini devint le chef d'une tribu d'Indiens qui s'installèrent autour du pauvre wigwam. Alors Iktomini reconstruisit un nouveau wigwam, plus grand et plus solide, autour du foyer où sa grand-mère veillait.

Quelques lunes plus tard, Iktomini se maria. La tribu qu'il fonda fut appelée la « tribu du lièvre ».

Lorsque Iktomini s'était changé en lièvre, une étincelle était tombée dans ses yeux. Il garda toujours cette étincelle dans son regard et les enfants de ses enfants aussi. Les lièvres, eux aussi, l'ont gardée et c'est pourquoi nous pouvons parfois apercevoir l'étincelle d'Iktomini, qui brille dans leurs yeux, lorsque la nuit est noire.

Le mauvais esprit et la moufette

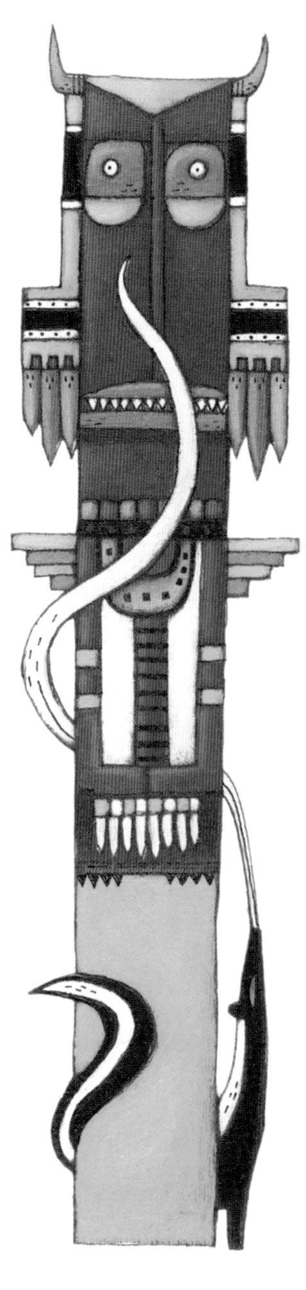

Il était une fois un mauvais esprit appelé Longue Griffe qui vivait dans le pays indien. C'était un esprit particulièrement méchant et féroce. Avec ses griffes, il pouvait tuer n'importe qui.

La seule chose que Longue Griffe ne savait pas faire, c'était nager. Aussi, tous ceux que Longue Griffe attaquait se précipitaient dans l'eau des lacs et des rivières ; hommes ou animaux, c'était leur seule chance d'en réchapper.

Oui, Longue Griffe terrifiait tout le monde ; tout le monde, sauf la moufette. La moufette était la seule à ne pas avoir peur de Longue Griffe. Un jour, elle décida de rôder autour du repère du monstre, dans l'espoir de se mesurer à lui.

Et c'est ainsi que Longue Griffe et la moufette se rencontrèrent. La moufette était assise au beau milieu d'une clairière, elle s'apprêtait à sortir son calumet, lorsque Longue Griffe, qui passait par là, l'aperçut.

– Ah voilà une proie ! hurla Longue Griffe. Et une proie pour qui ? Une proie pour moi !

La moufette ne bougea pas d'un centimètre. Elle continua à se reposer sur l'herbe comme si de rien n'était, occupée à présent à nettoyer son calumet.

– Hou ! hurla Longue Griffe, hou ! N'as-tu donc pas peur ? Sauve-toi vite de là, stupide animal ! Ne sais-tu pas qui je suis ? Je suis Longue Griffe et tout le monde me craint : des plus petits animaux aux plus gros, des papooses aux guerriers indiens les plus endurcis !

Longue Griffe avait beau se secouer dans tous les sens sous le nez de la moufette, celle-ci ne bougeait toujours pas. À la fin, elle le regarda même avec un air courroucé :

– Au lieu de gesticuler, stupide Longue Griffe, tu ferais mieux de débarrasser le plancher. Ne vois-tu pas que je veux allumer mon calumet et que je souhaite méditer en regardant pousser l'herbe. Et toi, tu ne cesses de la piétiner. Allez zou ! du vent ! mauvais esprit ! Disparais et que je ne t'y reprenne plus, ou il t'en cuira !

– Comment ! explosa Longue Griffe, comment oses-tu me parler ainsi ! Je vais t'assommer, te découper en lamelles et avec ta peau je ferai des lacets pour les mocassins de mon cousin. Hou ! Hou ! M'entends-tu ? Tremble, je te dis ! Mais tu vas trembler, oui ou non ?

Mais la moufette ne trembla pas. Au contraire, elle leva les yeux au ciel et soupira.

– Mais qu'est-ce que tu crois, hurla de nouveau Longue Griffe. Tu penses peut-être que je ne suis pas assez fort, c'est ça ? Eh bien, regarde !

Longue Griffe attrapa une grosse pierre. Il la souleva au-dessus de sa tête et la projeta de toutes ses forces à terre. La pierre se brisa en mille morceaux.

– Alors, ajouta Longue Griffe. Tu vois ce que je peux faire. Tu dois avoir peur maintenant car je vais t'aplatir, tiens, comme un bouclier d'Indien.

– Ah… C'est tout ce que tu sais faire, lui répondit la moufette d'un air dédaigneux. Eh bien d'accord, si tu veux vraiment te mesurer à moi, pourquoi pas ?

Elle se redressa sur ses pattes et demanda :

– Quelles sont les règles du combat ?

– En quatre coups je t'expédie au pays de la chasse éternelle.

– Ah, sourit la moufette pas du tout inquiète.

D'accord, tu me donnes tes quatre coups et après ce sera à moi de te régler ton compte.

Longue Griffe éclata de rire :

– Mais qu'est-ce que tu crois ? Tu ne vivras pas assez longtemps pour cela.

Et en disant ces mots, il donna un coup sur la tête de la moufette. C'était un coup si terrible que la moufette s'enfonça jusqu'aux pattes dans le sol.

Alors Longue Griffe se déchaîna : un second coup, puis un troisième, et de la moufette on ne voyait plus que la tête.

Boum ! Le quatrième coup donné, la moufette avait totalement disparu dans le trou.

Longue Griffe éclata d'un rire méchant. Il croyait l'affaire réglée et s'apprêtait à poursuivre sa route, quand il entendit une voix sortir de la terre :

– Attends un peu que j'arrive. C'est à mon tour de m'occuper de toi.

Et la moufette redressa sa tête par-dessus le trou.

Longue Griffe se mit à rire :

– Ha ! ha ! Mais tu ne pourras rien contre moi.

Tout de même Longue Griffe était étonné de voir que la moufette avait survécu à ses coups ; et s'il riait, il riait jaune.

La moufette regagna la surface de la terre. Elle secoua ses poils pour enlever la terre et dit :

– Je n'ai pas l'intention de te frapper comme une brute, moi. Non, non, je vais juste tourner quatre fois autour de toi et cela suffira pour t'a-né-an-tir. M'as-tu bien entendue ?

– Tu crois ça ? Longue Griffe se roulait par terre en riant. Tu peux tourner autour de moi tant que tu veux, ça ne me dérange pas. Tiens, d'ailleurs je me sens un peu fatigué. Et si je faisais un petit somme ?

Et Longue Griffe s'allongea sur l'herbe. La moufette prit alors une épice spéciale dans son petit sac à tabac. Elle en bourra son calumet. Puis elle se mit à marcher et à faire un premier tour autour de Longue Griffe.

– Commences-tu à avoir peur ? demanda-t-elle à Longue Griffe.

– Pas le moins du monde, répondit Longue Griffe en faisant semblant de bâiller.

– Eh bien, tu devrais.

Et elle entama son deuxième tour en murmurant :

– Anonani ! Anonani ! Sors de là.

À ces mots, un épais nuage de fumée sortit du calumet et enveloppa Longue Griffe. C'était un nuage nauséabond qui sentait vraiment très, très mauvais.

L'odeur insupportable pénétra dans la bouche, les yeux et le nez de Longue Griffe.

– Aille ! ouille ! gémit-il, tu me tues, tu m'as tué !

Le corps de Longue Griffe fit quelques soubresauts puis le monstre tomba raide mort sur le sol.

La moufette avait gagné. Pour témoigner de sa victoire, elle coupa les longues griffes du monstre et elle s'en fit un collier.

Elle voulait aller le montrer à ses voisins, à ses amis, à tous les habitants du pays indien, mais partout où elle allait, l'odeur nauséabonde d'Anonani l'accompagnait. Si bien que tout le monde s'enfuyait à son approche. Et comme seules les moufettes ne sont pas gênées par l'odeur d'Anonani, seules les moufettes connurent le véritable récit du combat mené par une de leurs ancêtres, contre Longue Griffe, le mauvais esprit.

D'ailleurs, les moufettes ont toujours gardé avec elle, l'odeur d'Anonani. Même aujourd'hui. C'est qu'elles estiment que cette odeur est la meilleure protection contre leurs ennemis. Et n'ont-elles pas raison ?

Table des matières